こども哲学

自分って、なにに？

アレイディに。
ぼくたちは
どこからきてどこへゆくのか、
その答えはかんたんには
みつかりそうにないから。

小学校で哲学をやってみたいというわたしたちの夢を実現してくれたナンテール市に、
こんないきあたりばったりの冒険にいっしょに乗りだしてくれた先生たちに、
そして、いっしょうけんめい知恵をしぼって、ことばに生命をふきこんでくれたナンテールのこどもたちに、
この場をかりてお礼を言います。

みなさん、どうもありがとう。

そして、かけがえのない協力者であるイザベル・ミロンにも、心からの感謝を。

Oscar Brenifier : "Moi, c'est quoi?"
Illustrated by Aurélien Débat

This book is published in Japan by arrangement with NATHAN/SEJER,
through le Bureau des Copyrights Français, Tokyo.

こども哲学

自分って、なに？

文：オスカー・ブルニフィエ
絵：オーレリアン・デバ
訳：西宮かおり

日本版監修：重松清

朝日出版社

何か質問はありますか？
なぜ質問をするのでしょう？

こどもたちのあたまのなかは、いつも疑問でいっぱいです。
何をみても何をきいても、つぎつぎ疑問がわいてきます。とてもだいじな疑問もあります。
そんな疑問をなげかけられたとき、わたしたちはどうすればいいのでしょう？
親として、それに答えるべきでしょうか？
でもなぜ、わたしたちおとなが、こどもにかわって答えをだすのでしょう？

おとなの答えなどいらない、というわけではありません。
こどもが答えをさがす道のりで、おとなの意見が道しるべとなることもあるでしょう。
けれど、自分のあたまで考えることも必要です。
答えを追いかけ、自分の力であらたな道をひらいてゆくうちに、
こどもたちは、自分のことを自分で決める判断力と責任感とを身につけてゆくのです。

この本では、ひとつの問いに、いくつもの答えがだされます。
わかりきったことのように思われる答えもあれば、はてなとあたまをひねるふしぎな答え、
あっと驚く意外な答えや、途方にくれてしまうような答えもあるでしょう。
そうした答えのひとつひとつが、さらなる問いをひきだしてゆくことになります。
なぜって、考えるということは、どこまでも限りなくつづく道なのですから。

このあらたな問いには、答えがでないかもしれません。
それでいいのです。答えというのは、無理してひねりだすものではないのです。
答えなどなくても、わたしたちの心をとらえてはなさない、そんな問いもあるのです。
考えぬくに値する問題がみえてくる、そんなすてきな問いが。
ですから、人生や、愛や、美しさや、善悪といった本質的なことがらは、
いつまでも、問いのままでありつづけることでしょう。

けれど、それを考える手がかりは、わたしたちの目の前に浮かびあがってくるはずです。
その道すじに目をこらし、きちんと心にとめておきましょう。
それは、わたしたちがぼんやりしないように背中をつついてくれる、
かけがえのないともだちなのです。
そして、この本で交わされる対話のつづきを、こんどは自分たちでつくってゆきましょう。
それはきっと、こどもたちだけでなく、われわれおとなたちにも、
たいせつな何かをもたらしてくれるにちがいありません。

オスカー・ブルニフィエ

特別付録 重松清の書き下ろし掌篇「おまけの話」が本の最後についています。

きみは、どうぶつ？

うん。だって、ぼくたち
ごはんたべて、こども

みんな、いきをして、つくって…どうぶつといっしょだよ。

草(くさ)や木だって、こどもをつくるよね？

人間は、自分(じぶん)の意志(いし)で
ごはん食(た)べずにいることも
できるよね？

人間って、いきして、食(た)べて、
こどもつくるために生きてるの？

犬は、自分(じぶん)がいきしてるって
知ってるかな？

そうだよ。

むかしそうだったら、いまもそうなの？

きみ、サルとけっこんできる？

だって、にんげんは、むかし、サルだったんだから。

いまいるサルたちも、
いつか人間になるのかな？

そんな大昔のこと、ほんとにわかる？

ちがう。だって、ぼくには考える力があるもの。

どんなときでも、
すぐにいろいろ考えられる？

考える力があると、
動物じゃないの？

イルカにも、考える力はあるんじゃない？
おしゃべりして、たしかめてみたら？

考える力がなかったら、
きみは動物？

ううん。だって、ぼく、しゃべれるもん。

動物（どうぶつ）は、言葉（ことば）をもってないの？

オウムだって、
人間みたいにしゃべるよね？

それなら、おなかのなかの
あかちゃんは、まだ動物（どうぶつ）？

おしゃべりなほうが、
人間らしいってこと？

ちがうよ。人間は、
いろんなたてものを

世界(せかい)のあちこちに
つくってるんだから。

もし、人間が、地球(ちきゅう)をこわしたり、
よごしたりしてるとしたら？

ビーバーやミツバチだって、
自分(じぶん)の家(いえ)をつくるよね？

たてものをつくらない
ひとたちだって、いるよね？

ちがうとおもう。死んだらおはかに

だからって、きみの死は
動物の死とちがうって言える？

死んだひとをおはかにうめるのって、
どんな意味があるんだろう？

だって、ぼくは、いれてもらえるもの。

死んだら自分のからだを科学の役にたてたいと思うのは、人間としておかしいこと？

動物が死んでも、人間がおはかをつくってあげたりしない？

人間は、動物の一種だ。なぜって、人間も、

他の動物みんなとおなじように、食べて、呼吸して、そうしていつか死ぬんだから。
それに、ぼくらの祖先は、いまのぼくたちなんかより、サルにそっくりだったんだ。

でも、ぼくらと動物とはちょっとちがう、って感じることも、いくつかある。
ぼくたちは、いろんなことを考えて、それを言葉で言いあらわすし、
あたらしいものをつくりだしたり、世界がひっくりかえるようなことだってする。
それも、他のどんな動物にもまねできないようなやりかたで。

それからぼくらは、なかまが死ぬと、お葬式をする。
死んだらそれでおしまいじゃなく、あの世に行くって思ってるからだろうか、
それとも、人間は動物とはちがうっていう、しるしのつもりなんだろうか。

でも、何がどうあれ、ぼくたちは、受け入れるべきなんだ。
人間は、自然の一部として生きてゆくものなんだって。

…人間も動物も、
生きてくためにすることは
いっしょなんだって気づくこと。

…ぼくたち人間は、他のすべてのいきものたちと
つながりあって生きてるんだっておぼえておくこと。

…いつかは死ぬ、って知ってる点で、ぼくら人間は
他の動物たちとちがうんだって知っておくこと。

…「理性をもった」動物として、
ぼくら人間が地球のために
できることをよく考えること。

はやく、おとなになりたい？

ううん。あかちゃんになりたい。そしたら、パパもママも、もっとかまってくれるから。

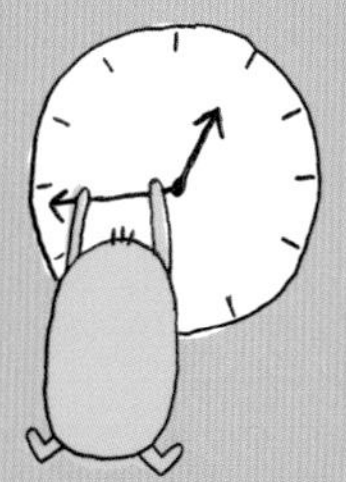

時間をさかのぼることなんて、できる？

みんながあかちゃんになっちゃったら、こまらない？

きみがひとりでいろいろできるように、
親はみまもってくれてるんじゃない？

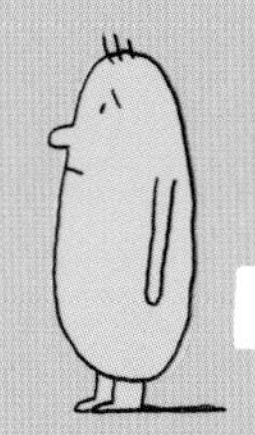

それって、なんだか、
うしろむきじゃない？

うん！ だって、ひとりでいろいろ

おとなになったら、できるでしょ。

生きてゆくのも、ひとりでへいき？

ひとの手をかりるのは、
どんなときでも、いやなこと？

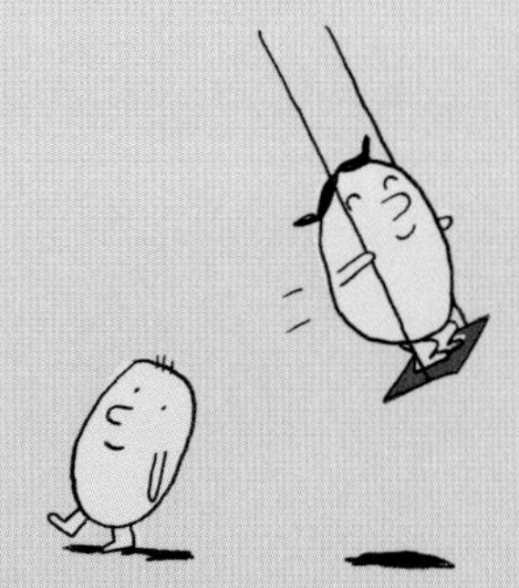

おとなになるって、
ひとの手をかりなくてすむようになること？

ひとりで自分のことだけするの？

ううん。こどものままがいい。

こどもだって、あそんで
ばっかりじゃないよね？

おとなになって、変(か)わってゆくのも
おもしろくない？

あそべなくなるの、やだもん。

おままごとで、おとうさんとか
おかあさんになるのって、
おとなになるための練習(れんしゅう)じゃない？

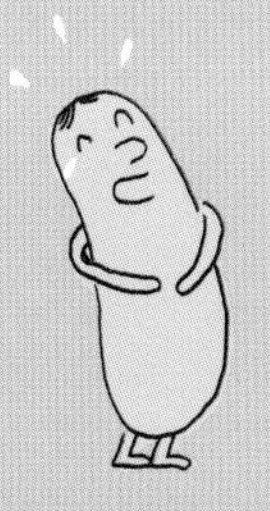

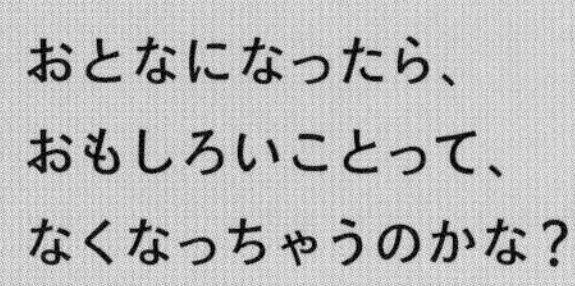

おとなになったら、
おもしろいことって、
なくなっちゃうのかな？

なりたい！
それで、恋人（こいびと）つくるの。

恋って、おとなだけのもの？

恋って、いつでも、しあわせいっぱい？

親の愛情だけじゃ、ものたりない？

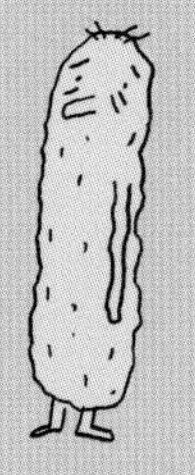

恋なしじゃ、生きてゆけない？

いや。だって、どんどん

昨日より今日の自分が
ちょっと年とってるのは、
いやなこと？

年をとるって、いろんなものを失うだけ？

死ぬのは、年をとったときだけ？

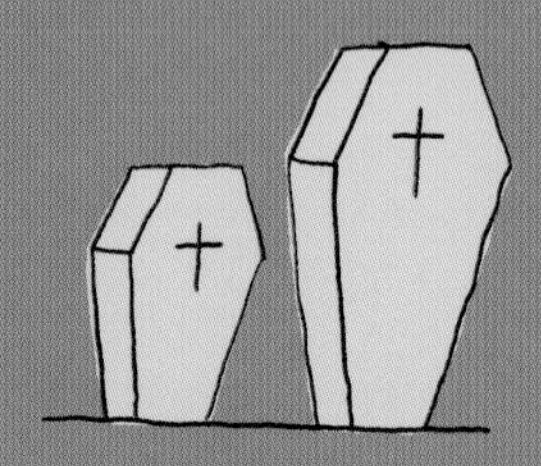

人生って、かぎりがあるから、
めいっぱいたのしめるんじゃない？

年(とし)とって、それで、
死(し)んじゃうんでしょ。

きみがどう思おうと、きみは大きくなってゆく。

からだだけじゃない、こころだってそう。

それでもやっぱり、いまのままでいたいとか、昔にもどりたいとか思うことがある。
おとなになんかなりたくない。めんどくさいことがふえるだけで、つまんない。
あかちゃんのころはよかったな。みんなちやほやしてくれて、
自分じゃなんにもしなくていいし、おこられることだってなかったし…

だけど、いまはいまで、わるくない。
親だって、まえよりずっと信用してくれるようになってきたし、
自分で自分のしたいことをできるようにもなってきた。
そう、自立したいって気もちが、きみのなかにうまれてきてるんだ。

その一方で、早くおとなになれないかな、ってもどかしく思ったり、
年をとって死んじゃうのはいやだ、って思ったりすることもある。
そんなときは、あれこれ悩まず、もっと肩の力をぬいて、
成長してゆく自分の変化と向き合ってみたらどうだろう?

…人生には、思いどおりにならないこともあれば、
卒業しなきゃいけないこともある、
それをきちんと受け入れること。

…ぼくらはたえず刻々と、
ちがうだれかに変わってゆく、
その変化にとまどわないこと。

…変化は不安のもとにもなるけど、
発見やよろこびのもとでも
あるんだって気づくこと。

…ひとりだちしたって、家族の愛情とさよならする
わけじゃない、それをあたまに入れておくこと。

きみは、みんなと おんなじ？

ちがうよ。ぼくの肌のともだちのは

色は黒いけど、白いもん。

肌の色はいろいろでも、
みんなおんなじ人間じゃない？

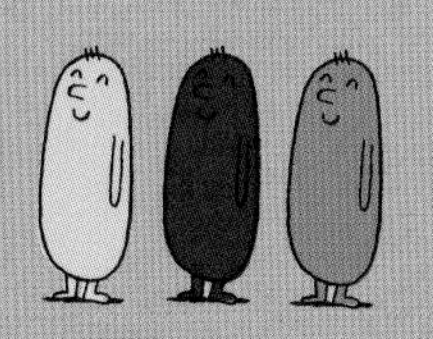

もし、きみの肌の色が、
白とか黄とか赤とか茶になったら？
そしたらきみは、きみじゃなくなる？

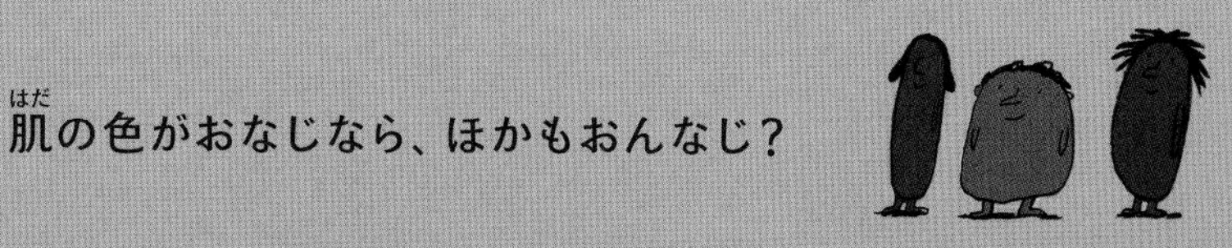

肌の色がおなじなら、ほかもおんなじ？

肌の色がいろいろのひとって、
いないのかな？

うん。だって、目がふたつに、
耳（みみ）がふたつで、口ひとつ…

みんなそうでしょ。

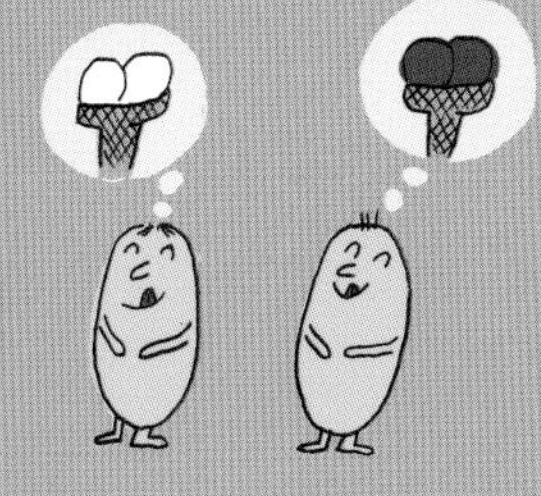

口はみんなについてるけど、
好きなものはいろいろじゃない？

目って、どれもおんなじかな？

目がふたつあっても、
見えなかったら、みんなとちがうの？

もしも、鼻がなくなっちゃったら？

ちがうとおもう。ぼくよりびんぼうな子もいるし…

きみは、びんぼうにならないの?

おかねがあれば、ゆたかって言える?

みんなそろって
おかねもちになんてなれるかな？

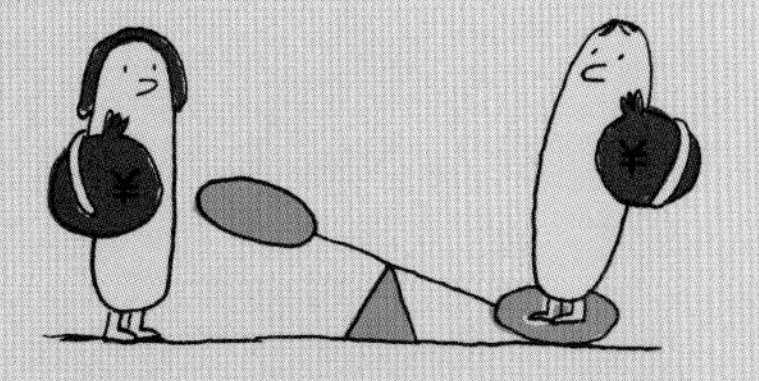

ゆたかかまずしいか、
どうやってはかるの？

ううん。ぼくは男の子で…

…あのこは
女の子だもん。

男の子と女の子でも、
おんなじところはたくさんあるよね？

男の子と女の子と、
にてなくっても、なかよくなれない？

女の子でも、男の子より
わかりあえる子って、いない？

男の子みたいな女の子だって、
いるよね？

うん。だって、ぼく、

ふつうとかふつうじゃないとか、
だれが決（き）めるの？

ふつうって、なんだろう？
他（ほか）のみんなとおなじってこと？

ふつうだから。

ぼくたちひとりひとりちがうのに、
みんなとおなじなんてこと、ある？

みんなとおなじがいいのかな？
自分らしいのがいいのかな？

ちがうよ。ぼくは

きみのなかには、
ちょっぴり他（ほか）のだれかもいない？

自分（じぶん）がどんな人間か、
いつでもちゃんとわかってる？

ぼくだ。

きみは、いつでも、
おんなじきみ？

あのひとみたいになりたい！
って思うこと、ない？

みんなとおなじがいい、って思うことがある。

きみにないものをみんながもってるときなんか、とくにそうだ。
それに、ひとりぼっちやなかまはずれは、いやだから。
その一方で、みんなとおなじじゃいやだ、って思うきみもいる。
ほんとうのぼくはこうなんだ、他のだれともちがうんだ、って。

ぼくらひとりひとりを区別するものは、たくさんある。
性別、肌の色、からだの特徴、話す言葉、性格、その他、いろいろ。
あんまりちがう相手と出会うと、おどおど、びくびく、しちゃったり。

でも、きみは、気づいてるはずだ。
きみとみんなは、どこかでつながってるんだって。
ひとりひとり、てんでばらばらなように見えても、やっぱりどこかにてるんだって。
そう、ぼくたちみんな、おんなじ人間なんだから。

…みんなの言うことに流(なが)されず、うわべのちがいを気にせずにひとととつきあえるようになること。

…だれかをまねたり、むりに目立(めだ)とうとしてみたり、そんなひつようはないんだって気づくこと。

…「ふつう」ってどういうことなのか、よく考えてみること。

親(おや)に感謝(かんしゃ)するのは、どんなとき？

なぞなぞ3回
+ がみがみ1回
+ ちゅー5回
=

いっつも。だって、パパとママがいて、わたしがうまれたんだもん。

そうだね、
でも…

きみの人生まるまる、親のもの？

親にすてられても、そう思える？

何から何まで親のおかげ？
自分のおかげは、なんにもないの？

きみをこの世におくりだしたのは、
親？　それとも、自然の力？

おいしいごはん
つくってくれたり、
いろいろして
くれるとき。

きみは？
親になんにもしてないの？

きみが感謝しなくても、
親はめんどうみてくれるかな？

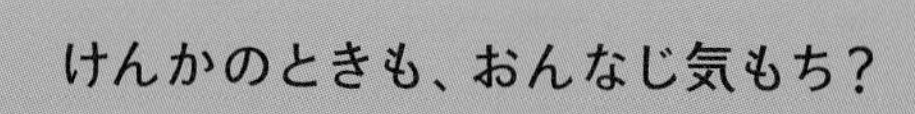

けんかのときも、おんなじ気もち？

おおきくなって、
ひとりでなんでもできるようになっても、
その気もち、変わらないかな？

スキスキ！

ぼくのこと、ほんとにだいじなのかな…
って、不安になったことはない？

好いてくれるから、好きになるの？

自分の親やこどものことを、
きらいでいることなんて、できる？

愛情のあらわしかたって、
親ときみとで、おんなじかな？

ってしてくれるとき。

しない。

うんでって たのんだ わけじゃないもん。

うんで、って、自分からたのんで
うまれてきた子なんて、いるのかな？

きみにこどもができたら、
うまれてきたいか、きいてみる？

毎朝、目がさめるたびに
うまれてこなきゃよかった…って思う？

思いがけないプレゼントって、
うれしくない?

家族みんなで

家族って、ほっとさせてくれればいいの？

そんなにほっとしたいなんて、
何かこわいことでもあるの？

家族をつくるのは、ほっとするため？

そんなこと言ってたら、
家族とはなれられなくならない？

いられるとき。
ほっとするの。

しあわせ
っておもうとき。

きみのしあわせって、きみだけのため？
親のためにはならないの？

しあわせって、
なろう！ と思ってなれるもの？

もしも、きみのしあわせが、
親(おや)をふしあわせにするとしたら？

きみがふしあわせだと、親(おや)は、
きみをうんだこと、後悔(こうかい)するかな？

親がいなかったら、きみもいなかっただろう。

毎日まいにち、親はきみのめんどうをみて、いろんなことを教えてくれて、
きみの人生をいっしょに歩いてくれている。
きみに愛情をそそいで、きみがほっとできる場所を家族のまんなかにつくってくれる。
それに、きみの長所や短所のいくつかは、親からゆずりうけたものだ。

だから、きみがしあわせだとしたら、それは多かれ少なかれ、親のおかげなんだ。
そう考えたら、いまよりもっと、親をだいじにできるんじゃないだろうか。
たとえ、うまれてきたくてうまれてきたわけじゃないや… なんて、思ってるとしてもね。

でも、だからって、きみのすべては親のおかげだ、なんて言うわけじゃない。
きみの親が、神さまみたいに、きみという人間をつくりあげたとでもいうんだろうか？
他のみんながきみに与えてくれたものは、何ひとつないんだろうか？
そもそも、いまあるきみについて、きみ自身には、なんの責任もないんだろうか？…
一歩一歩、自分で自分の責任をとれるようになってゆくべきじゃないのかな。

…家族や過去をたいせつに思う気もちは忘れずに、
ひとりでも生きてゆけるようになること。

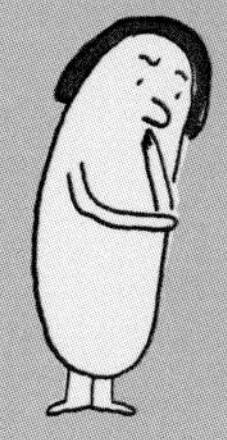

…親になるのも、子になるのも、
かんたんじゃないって気づくこと。

…いろんな影響を受けながら、自分でえらんだ道が、
きみの人生なんだってあたまに入れておくこと。

鏡（かがみ）で自分（じぶん）をみるの、すき？

すき。だって、ぼく、
かっこいいもん。

そうだね、
でも…

いつ見ても、かっこいい？

目に見えないかっこよさも
あるよね？

きみは、かっこいいのかな？
かっこいいと思ってるのかな？

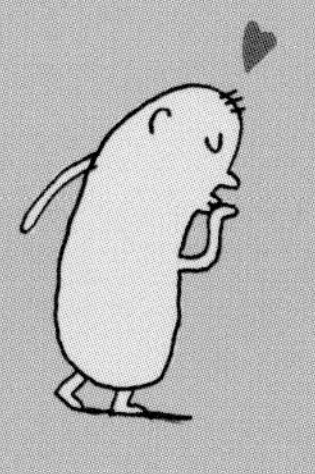

そんなふうに思うのは、
自分のこと好きだからじゃない？

きらい。

どうして、いいとこは見ないの？

欠点のないひとなんて、いる？

きみが欠点だと思ってるとこが、
みんなから見たら、
きみらしさかもよ？

欠点があるからって、
ともだちのこと、きらいになったりする？

やなとこばっかしだから。

うん。ほんとのじぶんを知りたいから。

鏡のなかのきみが、
ほんとのきみ？

もし、目が見えなかったら、
自分のこと知りたいとき、どうすればいい？

やさしそうな顔して、
いじわるなひとだって、いるよね？

へちゃむくれの顔して鏡見るのも、
おもしろくない？

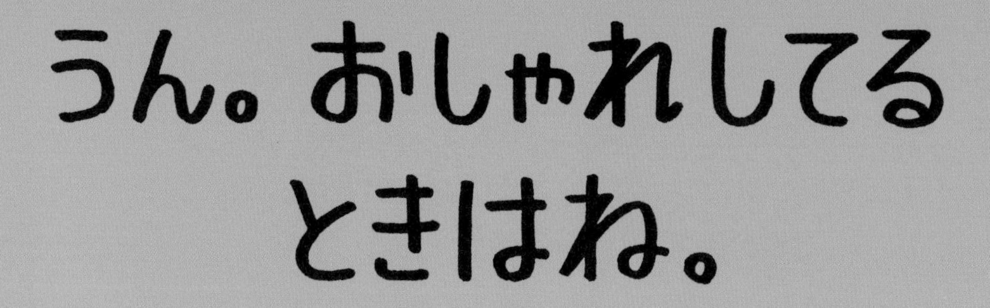
うん。おしゃれしてる
ときはね。

S

着てるもので、そのひとがわかる？

服がかっこわるいと、
着てるひとまでかっこわるくなっちゃう？

服の趣味って、
流行といっしょに変わらない？

きみが鏡で見たいのは、
きみ自身？　それともきみの服？

べつに。だって、鏡で ぼくの見ため

そうだね、

でも…

みんなの目にきみがどう見えてるのか、
自分の目で見ておかなくていいの？

自分の外見も知っておきたいとは思わない？

みられるのは、
だけだから。

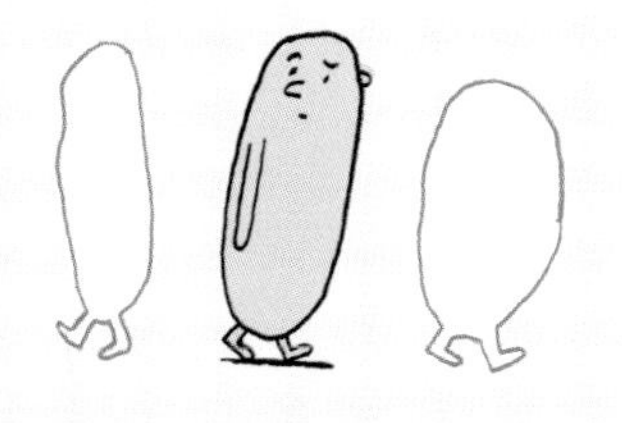

その外見のおかげで、みんなにも
きみがきみだってわかるんじゃない？

透明人間だったらなぁ…
なんて、思う？

鏡のなかの自分をみつめて、きみは、

ほんとうの自分を知ろうとする。

かっこいいなぁ、ってうっとりしたり、やなとこばっかり… ってがっかりしたり。
鏡にうつる自分の影と向き合ううちに、きみの胸には、不安や期待がわいてくる。
こいつは、ほんとに、信用できるやつなんだろうか？
きみが見ているものは、きみの想像にゆがめられたりしてないだろうか？
そうは言っても、はじめて会った相手のあたまに残る「きみ」も、
みんながきみを判断する手がかりになるのも、そこにうつってるその影なんだ。

そこできみは、なんとか自分をよく見せようと、あれこれ工夫してみる。
それって、なんのためだろう？
自分のいいところを見てもらいたいから？　それとも、いやなところをかくすため？

服装や髪型を変えると、変装したような気になれる。
だけど、きみの外見は、きみがないしょにしておきたくても、
きみという存在の秘密の部分を、みんなに知らせてしまうんだ。

…自分のことをよく知って、いつでも思いどおりの
自分でいられるわけじゃないんだって気づくこと。

…外見ばかりに気をとられずに、目には見えない
美しさを発見すること。

…きみをみつめるみんなの目は、きみにとっての
鏡なんだって、あたまに入れておくこと。

…だいすきだけど、だいきらい、
自分にたいするふたつの気もちを
つなげる道をさがすこと。

自分のこと、自分できめてる？

まだ
ちっちゃいから、
むり。

こどもだと、
えらぶこともできないの？

なんでもおとなに
決めてもらうの？

ぜんぶ決めてもらってて、
自分でえらべるようになる？

おとなは、自分のこと、
自分で決めてるのかな？

ううん。だって、うまれたときにはもう女の子だったし、名前だってきまってたもん。

身分証明証にかいてあることが、
きみのすべて？

ぜんぶ自分で決めてないと、
わたしはわたし、って言えないの？

名前とか性別って、
変えられないもの？

おんなじ名前の子は、
みんなそっくり？

うん。わたしにはわたしの性格と考えがあるから。

みんなに影響されたりもしない？

きみの性格って、きみが自分でえらんだの？
それとも、親から受けついだの？

ごきげんとか、ふきげんとか、
そういう気分もえらべるのかな？

自分らしさって、なんだろう？
みんなとちがうってこと？

ううん。自分が

わからなくちゃ、えらべない？

きみはもうきみなんじゃない？
これからきみになってゆくの？

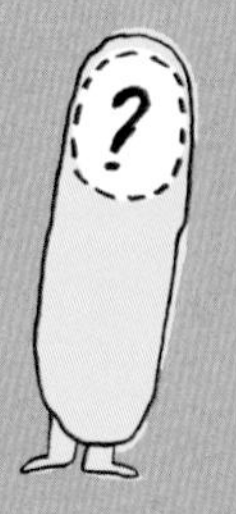

自分がどんな人間か、
ほんとにわかるときって、
くるのかな？

きみは毎日、何してる？
そこからきみが見えてこない？

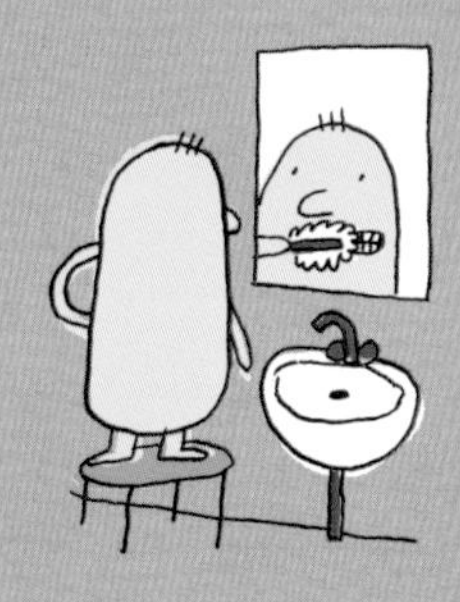

どんな人間か、
よくわかんないし…

むり。だって、ああしなさい、みんながくちだし

そんなとき、いやって言っちゃいけないの？

きみのしてることが、きみのすべて？

こうしなさい、って、するんだもん。

しなくちゃいけないことすると、
したいことができなくなるの？

100%やりたい放題、できると思う？

いつ、どこにうまれるか、女の子か男の子か、

なんて名前か… どれひとつとして、きみが自分でえらんだわけじゃない。

まだこどもだから、って、親や先生がちょいちょい口を出してきて、
きみのかわりに、いろんなことを決めてしまう。
それに、かちんとくることもある。
でも、だからって、したいことができなくなったりするだろうか？
自分のあたまで考えて、いやなことはいやだってはっきり言えばいい。
きみには、もう、そういうことができるはずだ。

社会にでて生きてゆくためには、やらなきゃいけないことだってある。
でも、義務は義務、自分の道をえらぶうえでの枠ぐみにすぎない。
だから、やるべきことをやりながら、ほんとうの自分をみつけだし、
それから、理想の自分をめざして、まっしぐらにすすんでゆけばいい。
よそみなんかしてちゃいけない。
自分自身と向き合うのがいやになって、ちがうだれかになりたくなったり、
道にまよってしまうかもしれないから。

フランスでは、自分をとりまく社会についてよく知り、自分でものごとを判断できる人になる、つまり「良き市民」になるということを、教育のひとつの目標としています。
そのため、小学校から高校まで「市民・公民」という科目があります。
そして、高校三年では哲学の授業が必修となります。
高校の最終学年で、かならず哲学を勉強しなければならない、とさだめたのは、かの有名なナポレオンでした。およそ二百年も前のことです。
高校三年生の終わりには、大学の入学試験をかねた国家試験が行なわれるのですが、ここでも文系・理系を問わず、哲学は必修科目です。
出題される問いには、例えば次のようなものがあります。
「なぜ私たちは、何かを美しいと感じるのだろうか？」
「使っている言語が異なるからといって、お互いの理解がさまたげられるということがあるだろうか？」
これらの問題について、過去の哲学者たちが考えてきたことをふまえつつ、自分の意見を文章にして提示することが求められるのです。
当たり前とされていることを疑ってみるまなざしと、ものごとを深く考えてゆくための力をやしなうために、哲学は重要であると考えられています。

編集部

こども哲学　自分って、なに？

2007年1月30日　初版第1刷発行
2011年12月15日　初版第4刷発行
2020年4月1日　第2版第1刷発行

文　オスカー・ブルニフィエ
訳　西宮かおり
絵　オーレリアン・デバ
日本版監修　重松 清
日本版デザイン　吉野 愛
描き文字　阿部伸二（カレラ）
編集　鈴木久仁子　大槻美和（朝日出版社第2編集部）
発行者　原 雅久
発行所　株式会社朝日出版社
〒101-0065 東京都千代田区西神田3-3-5
TEL. 03-3263-3321 / FAX. 03-5226-9599
http://www.asahipress.com
印刷・製本　凸版印刷株式会社

ISBN978-4-255-01174-5 C0098

んなことにクヨクヨして、ひとの顔色をうかがって、みんなに嫌われるのが怖くて、いじめられていた頃のことを思いだすといまでもしょんぼりしてしまう、そんな「暗い奴」を……彼女は好きになってくれるんだろうか？

でも、でも、でも、でも、どうする――？

鏡の中の自分を見つめる。

あれ――？

鏡の中の自分も、自分を見つめる。おどけてニカッと笑うと、鏡の中で「おまえ」も笑う。つまらなそうな顔をすると、鏡の中で「オレ」も表情を曇らせる。

おまえ、どっち――？　オレ、どっち――？

途方に暮れた顔で力なく笑うと、鏡の中で「オレ」と「おまえ」が入り混じった。

少年は、「オレ」とも「おまえ」ともつかない表情のまま、しばらく鏡の前にたたずんだ。

そして、とても自分思いの少年は握り拳で胸を軽く叩いて、もう一度、笑った。

がんばれ――。

オレたち。

しげまつ・きよし――１９６３年生まれ。早稲田大学教育学部卒。出版社勤務を経て執筆活動に入る。ライターとして幅広いジャンルで活躍し、９１年に『ビフォア・ラン』で作家デビュー。９９年『ナイフ』で坪田譲治文学賞、『エイジ』で山本周五郎賞、２００１年『ビタミンＦ』で直木賞、１０年『十字架』で吉川英治文学賞、１４年『ゼツメツ少年』で毎日出版文化賞を受賞。著書に『流星ワゴン』『疾走』『きみの友だち』『青い鳥』『とんび』『希望の地図』『きみの町で』『木曜日の子ども』など多数。

い奴」は「おまえ」で、「オレ」は誰にも傷つけられることなく幸せな日々を過ごしているんだ、と心に刻み込んだ。最悪の選択をせずにすんだのはそのおかげだと信じているし、「面白い奴」になった高校生活で、たまにみんなから「よくやるよ、ほんとにバカだよなあ」とあきれて笑われても、それは「おまえ」の責任であって「オレ」とは無関係だから、と割り切ることもできる。

そんな少年が、同級生の少女を好きになった。少年のギャグに、女子の中で誰よりも気持ちよさそうに笑ってくれる子だ。女子の友だちに「ああいう面白いひと、大好き」と話していた、というウワサも聞いた。

だが、彼女は知らないのだ。少年が毎晩「明日はどんなことを言ってみんなを笑わせよう」と必死に考えていることを。みんなの前でギャグを言うタイミングを慎重に計って、うまくウケればほっとして、少しでも反応が悪ければ背筋がひやっとして……放課後にみんなと別れて一人になると、ぐったりと疲れきって、にこりともしない「オレ」を、彼女はなにも知らないのだ。

どうする――？　少年は洗面所で寝る前の歯磨きをしながら、じっと考え込む。

いつもどおりの「面白い奴」でいれば、きっと彼女はよろこんでくれる。お芝居をするのは疲れることでも、いままでだってがんばってやってきたのだから、これからだってがんばれる、と思う。

でも、どうする――？　洗面所の鏡に顔が映る。

好きな女の子には、「オレ」を知ってほしい。ほんとうはいろある町に、とても自分思いの少年がいた。

入学したばかりの高校の教室で、少年はクラス一番の「面白い奴」の座を射止めた。明るくて、陽気で、冗談ばかりとばす人気者になった。

高校生活のスタートダッシュに成功した。生まれ変わることに成功した。同じ中学から入った友だちが誰もいない高校だからこそ、できた。

ギャグをとばす。みんながどっと笑う。少年は「うっしゃあっ」とおどけてガッツポーズをつくり、そして、誰にもわからないよう、そっと安堵のため息をつく。

少年は心の中で、つぶやく。

がんばれ、おまえ――。

「オレ」ではない。「おまえ」だ。

クラス一番の「面白い奴」は、「おまえ」だ。「オレ」ではない。おまえはオレの命令でしゃべって、動いて、「面白い奴」の役割を忠実に果たしているだけだ。高校に入学するときに、「面白い奴」になろうと決めた。その決意どおりに行動して、うまく目的を果たした。すべてがお芝居、計算してやっていることなのだ。

いつからそうなったのか、少年はときどき――傷口のかさぶたをそっとめくるように、思いだす。

中学時代、少年は「暗い奴」と呼ばれて、ひどいいじめに遭っていた。つらかった。死にたいとさえ思った。だから、いじめられているのは「おまえ」なんだと決めた。「いじめられている暗

「なにが?」

「あの頃どんな友だちがいたのかなあ、って。あと、わたし、みんなの中で背が高いほうだったのかなあ、低いほうだったのかなあ、って」

娘はテレビの画面を指差した。一時停止した映像は、かけっこの場面だった。

「わたし、かけっこで何着だったの? 自分しか映ってないから、なーんにもわからない。そういうのがわからないと、ちっとも面白くないんだよね」

言葉に詰まる母親に、娘は立ち上がりながら言った。

「自分しかいないときの自分って、よくわからないよ」

遊びに行ってくるね——と娘はリビングを出ていった。

部屋に残された母親は、「生意気なんだから、もう」と娘の去ったあとのソファーにひとこと言って、テープの一時停止を解除した。

幼かった頃のわが子が走る。一所懸命に走る。トップを走っているのか誰かを追いかけているのかわからないまま、カメラは娘だけをとらえている。

「いいじゃない、ちゃんと映ってるんだから、こんなに大きく撮ってあげたのに、なに文句言ってるのよ……」

とても子ども思いの母親は、リモコンを手にぶつくさ言いつづける。

しつづけた。

撮影のときには、いつもズーム機能を使う。モニター画面いっぱいに娘を映す。

「だって、これはウチの子の記録なんだから。ちょっとした表情やしぐさもしっかり撮ってあげたいじゃない。関係ないものを撮ってもしょうがないでしょ」

娘は中学生になった。ここから先の思い出は、娘が自分自身で記憶に刻んでいけばいい。親が子どもにしてやれるのは「幼かった頃の自分」を残しておくことだけで、それはもう、じゅうぶんに果たしてきたという自負もあった。

日曜日、娘に「昔のビデオ観てみない？」と声をかけた。「ほら、懐かしいでしょ、あんたも昔はこんなにちっちゃかったのよ」——幼稚園の運動会のビデオを再生した。

だが、娘はちょっと困った顔で言う。

「なんでこんなにアップにして映したの？」

母親は苦笑して答える。

「いまは照れくさいかもしれないけど、おとなになったら、こういうテープがたくさんあってよかったと思うんだから。子どもの頃の自分と対面するのって、おとなになってからも大事なことなのよ」

「お母さんの言ってることはわかるけど……」

娘はポーズボタンを押してテープを停め、「これを観ても、全然わかんないんだよね」と言った。

スで、自分らしくがんばればいいんだよ」
ところが、息子は納得できない様子で首をかしげる。
「ぼく、がんばらないほうが楽なんだけど。ぼーっとしてるのがいちばん好きだし、自分らしいと思うし」
父親は、うーん、としばらく考え込んでから、言った。
「そんな自分は、ほんとうの自分じゃないと思うけどなあ、パパは」
「がんばれば、ほんとうの自分になれるの？」
「ああ、そうだよ」
「でも、がんばらなきゃなれないものって、ほんとうの自分なの？がんばらなくても自然になってるのが、自分なんじゃないの？」
とても子ども思いの父親は、顔をしかめて息子の頭から手をどけながら言った。
「屁理屈言うな」

ある町に、とても子ども思いの母親がいた。
娘が生まれてからずっと、事あるごとにビデオカメラを回して、わが子を撮影してきた。
「親が子どもに残してあげなきゃいけないものは、あとになってからでは取り戻すことのできない記録だと思うの」
その持論どおり、彼女はカメラを回しつづけた。七五三や幼稚園の運動会といったイベントはもちろん、公園で遊んだり家でテレビを観たりという、ごくありふれた場面もていねいに記録に残ある町に、とても子ども思いの父親がいた。

「他人と比べて自分の子どもがどうこうなんて、おかしいだろう。人間は一人ひとり、オンリーワンなんだから」というのが口癖で、その言葉どおり、決してわが子を他人と比べたりはしなかった。

「人生は他人との競争じゃないんだ。いかに自分らしく生きるかが大事なんだよ。そうだろう?」

小学四年生の一人息子の頭を撫でて言う。「だから、自分らしくがんばれ」と励ます。

もっとも、彼の息子は、せっかくの父親の励ましにもきょとんとした顔をするだけだった。

もともと、のんびりした性格の子どもだ。学校で水族館に出かけたときも、クラゲの水槽の前にずーっとたたずんで、ライトアップされた水の中にぷかぷか浮かぶクラゲをうらやましそうに見上げていた。

「ねえ、パパ」

息子は言った。

「ぼく、がんばらなきゃダメなの?」

今度は父親のほうがきょとんとして、「がんばりたくないのか?」と聞き返した。

「だって……がんばるのって、あんまり好きじゃないし」

父親はあきれ顔で笑って、また息子の頭を撫でた。

「がんばり方は、ひとそれぞれでいいんだ。おまえはおまえのペー

おまけの話

重松清

オスカー・ブルニフィエ

哲学の博士で、先生。おとなたちが哲学の研究会をひらくのをてつだったり、こどもたちが自分で哲学できる場をつくったり、みんなが哲学となかよくなれるように、世界中をかけまわってがんばってる。これまでに出した本は、中高生向けのシリーズ「哲学者一年生」(ナタン社)や『おしえて先生！ 論理学』(スイユ社)、小学生向けのシリーズ「こども哲学」、「哲学のアイデア」、「はんたいことばで考える哲学の本」(いずれもナタン社)、「てつがくえほん」(オートルモン社)、先生たちが読む教科書『話しあいをとおして教えること』(CRDP社)や『小学校教育における哲学の実践』(セドラップ社)などなど、たくさんあって、ぜんぶあわせると35もの国のコトバに翻訳されている。世界の哲学教育についてユネスコがまとめた報告書『哲学、自由の学校』にも論文を書いてるんだ。
http://www.pratiques-philosophiques.fr

オーレリアン・デバ

オーレリアン・デバは、ふたりの妹と、一匹のイヌ、三匹のネコ、それから、一頭のロバといっしょに、いなかでこども時代をすごした。そのころみんなで、自分たちのだれが動物でだれがそうじゃないか、ああでもないこうでもないと話しあったんだって。イラストレーターになろう、って決心して、ストラスブールの学校へすすんだ。いまもストラスブールで、こども向けの本のさし絵や広告のイラストをかいたり、ちいさな出版社からマンガをだしたりしている。
「自分って、なに？」って質問への答えは、こう。「その答えは、まだ、みつかりそうにないな。」

西宮かおり

東京大学卒業後、同大学院総合文化研究科に入学。社会科学高等研究院(フランス・パリ)留学を経て、東京大学大学院総合文化研究科博士課程を単位取得退学。訳書に『思考の取引』(ジャン＝リュック・ナンシー著、岩波書店)、『精神分析のとまどい』(ジャック・デリダ著、岩波書店)、「こども哲学」シリーズ10巻(小社刊)などがある。

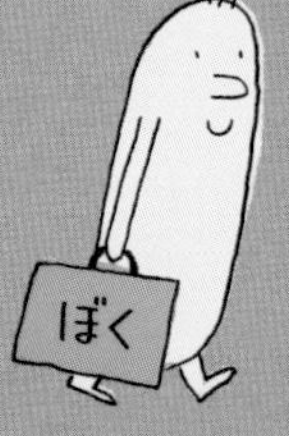

…思いどおりじゃなくてもきみはきみ、
そんな自分を受け入れること。

…自由って、義務から逃げることじゃない、自分の考えをしっかりもって、義務に立ち向かうことなんだって、あたまに入れておくこと。

…きみのなかで変わるものと
変わらないものとをみきわめて、
夢がどこまでかなうのか、
考えてみること。

…自分がどんな人間なのかは、
これから人生が教えてくれる、
その声に耳をかたむけること。